SILLY 笨笨熊
cute bear

胡媛媛 编著

0-3岁行为习惯绘本·第二辑

好好走路

广东旅游出版社
GUANGDONG TRAVEL & TOURISM PRESS
中国·广州

小熊在楼上玩耍，熊妈妈在楼下喊："小熊，下来吃早餐吧！"

小熊一听，立马丢下玩具，连蹦带跳地下楼来。

3

4

"慢点儿,慢点儿!"
熊妈妈着急地喊道。
小熊就在下最后几级
台阶时踩空了,直接
滚下楼来。

小熊摔得头晕眼花,膝盖都肿了,"呜呜,好疼啊!"

熊妈妈吓坏了，"宝贝,上下楼梯时一定要慢慢走，跑跑跳跳的多危险啊！"小熊抹着眼泪点点头。

吃完早餐，熊妈妈让小熊出去买一罐蜂蜜回来。

小熊买到蜂蜜后，一边走一边吃，可高兴了。

"呀，前面有一个泥坑，小心！"

长颈鹿哥哥提醒得太晚了，小熊已经踩进了泥坑里，脚一滑，摔倒了不说，还把蜂蜜罐给打翻了。"呜呜，我的蜂蜜！"

11

长颈鹿哥哥扶起小熊："走路时要集中精神看路,知道了吗?"

小熊揹着脸点点头。

小熊身上都是泥巴，狼狈极了。他想马上回家洗澡。

人行道上，周围的动物们看着脏兮兮的小熊，纷纷捂嘴偷笑。

　　小熊又羞又急，不由得跑了起来，迎面撞到了大象，又摔倒在地，"呜呜，好疼啊！"

大象用鼻子把小熊扶起来，"走人行道的时候要靠右慢行，知道吗？"

小熊红着小脸点点头。

要过马路了，小熊闷着头往前冲，贴着红袖章的山羊伯伯一把拉住他。

"小熊，过马路要注意看红绿灯！红灯停，绿灯行，要等到绿灯亮了才可以过马路，否则车来车往的，多危险呀！"

小熊停下来等待,绿灯终于亮了,他安全地过了马路。

山羊伯伯在马路对面喊道:"记住,只有好好走路,才能安全回家。"

小熊回到家，将路上发生的一切告诉了妈妈，他向妈妈保证："我以后一定好好走路。"